Lisa Gallauner

Bagger Bobbis großer Fund

Mit Illustrationen von
Katrin Wolff

Von Lisa Gallauner unter anderem im G&G Verlag erschienen:
„Ballett ist doch ganz nett!“, Lesezug 1. Klasse, ISBN 978-3-7074-0386-2
„Hexe Hanna hebt ab“, Lesezug 1. Klasse, ISBN 978-3-7074-0403-6
„Leo Lupe“, Lesezug 1. Klasse, ISBN 978-3-7074-1133-1
„Fritz, schnell wie der Blitz“, Lesezug 1. Klasse, ISBN 978-3-7074-1230-7
„Das Geheimnis des dunklen Teiches“, Lesezug 3. Klasse, ISBN 978-3-7074-1266-6
„Willst du es wissen? ... ein Sach-Comic-Lese-Buch über Delfine“,
Lesezug, ISBN 978-3-7074-1282-6

www.ggverlag.at

ISBN 978-3-7074-1384-7

In der aktuell gültigen Rechtschreibung

1. Auflage 2012

Illustration: Katrin Wolff
Printed by Tipolitografia Alcione, Lavis-Trento, über Agentur Dalvit, D-85521 Ottobrunn

Inhalt

Familie Bagger

Das ist Bobbi.

Er ist ein Bagger.

Ein kleiner blauer Bagger ...

... mit einer roten Schaufel.

Bobbis Eltern sind echt toll.

Oma und Opa spitze!

Bobbi hat auch drei Brüder.

Das ist Ben, der Schnelle.

Das Bert, der Starke.

Und das Bruno, der Große.

Die Baustelle

Bobbi beneidet seine Brüder.
Sie arbeiten auf der Baustelle.

Sie graben tiefe Löcher.
Und tragen schwere Lasten.

Gerade arbeiten sie hart.
An einer neuen Autobahn.

Das ist sehr schwierig
und echt anstrengend.

Bobbi darf nur zusehen.
Mama meint, er ist zu klein.

Das macht ihn traurig.
Zusehen ist langweilig.

Er will nicht mehr
der Kleine sein!

Der Kleine, den alle anderen auslachen.

Bobbis Geheimnis

Heute ist ein schöner Tag.
Die Sonne scheint
und die Vögel zwitschern.

Bobbi beobachtet wieder seine Brüder. Ihm ist fad. Da hat er eine Idee.

„Ich suche mir eine eigene Baustelle", denkt er still und heimlich.

Bobbi fährt in den Wald.
An einer Lichtung
beginnt er zu graben.

Das macht er nun
jeden Tag. Er gräbt
im Wald an seinem Loch.

Das ist Bobbis
Geheimnis. Bis ihn seine
Brüder entdecken.

„Gräbst du nach Schwammerln?", fragt Bruno grinsend.

„Wird das ein Hasenbau?", will Ben schmunzelnd wissen.

„Suchst du etwa
Heidelbeeren?", meint
Bert lachend.

Bobbi ist traurig.
Trotzdem hört er nicht auf.
Er will graben!

Eine unglaubliche Entdeckung

Eines Tages stößt Bobbi beim Graben auf etwas Hartes. Was ist das? Schwammerln sind das nicht.

Heidelbeeren auch nicht.
Es ist auch kein Hasenbau.
Das ist eine große, alte Truhe.
Daran hängt ein Schloss.

Bobbi probiert alles Mögliche,
aber er bekommt das Schloss
nicht auf. Er schwitzt und
schnauft, doch nichts passiert.

Dann, ganz plötzlich, springt es auf. Bobbi öffnet vorsichtig den Deckel der Truhe. Toll! Darin glitzert und glänzt es!

Bobbi staunt. Das ist ein Schatz - ein Ritterschatz! In der Truhe sind Schmuck, Münzen und Schwerter aus purem Gold!

Eine Frau von der Zeitung spaziert pfeifend durch den Wald. Als sie Bobbi und den Schatz entdeckt, schießt sie viele Fotos.

Am nächsten Tag ist Bobbi dann in der Zeitung! Und sogar ins Fernsehen kommt Bagger Bobbi, der Schatzgräber.

Mama, Papa, Oma und Opa sind stolz. Ben, Bert und Bruno beneiden ihren kleinen Bruder. Der ist jetzt nämlich Bobbi, der Berühmte.

Weitere Lesezug-Bücher finden Sie unter

www.ggverlag.at

ISBN 978-3-7074-1097-6
1. Klasse, ab 5/6 Jahren

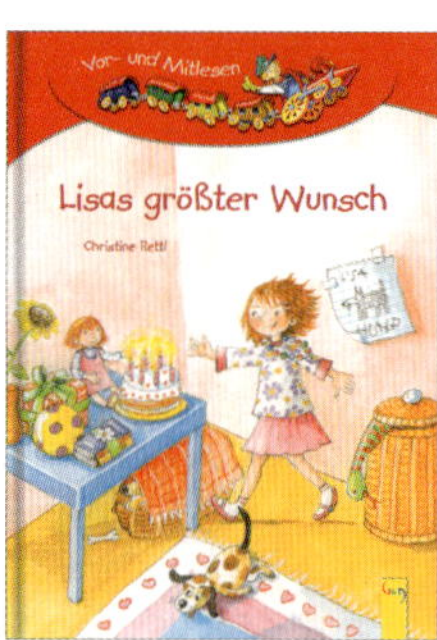

ISBN 978-3-7074-0337-4
1. Klasse, ab 5/6 Jahren

ISBN 978-3-7074-0338-1
1. Klasse, ab 5/6 Jahren

ISBN 978-3-7074-0386-2
1. Klasse, ab 5/6 Jahren

ISBN 978-3-7074-1052-5
1. Klasse, ab 5/6 Jahren

ISBN 978-3-7074-1132-4
1. Klasse, ab 5/6 Jahren

ISBN 978-3-7074-1281-9
1. Klasse, ab 5/6 Jahren

ISBN 978-3-7074-0403-6
1. Klasse, ab 5/6 Jahren

ISBN 978-3-7074-0341-1
1. Klasse, ab 5/6 Jahren

ISBN 978-3-7074-0339-8
1. Klasse, ab 5/6 Jahren

ISBN 978-3-7074-0392-3
1. Klasse, ab 5/6 Jahren

ISBN 978-3-7074-0340-4
1. Klasse, ab 5/6 Jahren

ISBN 978-3-7074-1133-1
1. Klasse, ab 5/6 Jahren

ISBN 978-3-7074-1180-5
1. Klasse, ab 5/6 Jahren

ISBN 978-3-7074-0342-8
1. Klasse, ab 5/6 Jahren

ISBN 978-3-7074-1230-7
1. Klasse, ab 5/6 Jahren

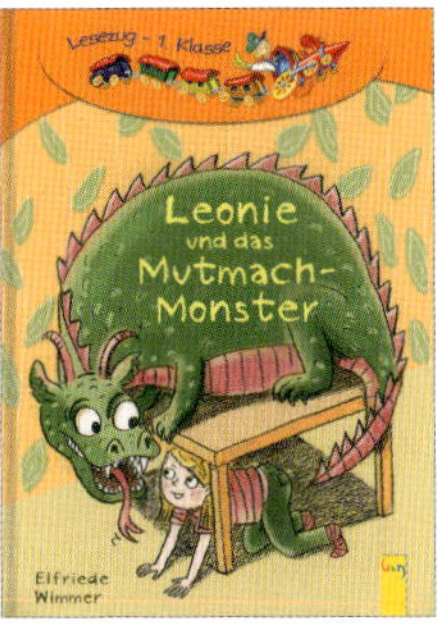

ISBN 978-3-7074-1338-0
1. Klasse, ab 5/6 Jahren

ISBN 978-3-7074-0358-9
2. Klasse, ab 6/7 Jahren

ISBN 978-3-7074-0371-8
2. Klasse, ab 6/7 Jahren

ISBN 978-3-7074-1260-4
2. Klasse, ab 6/7 Jahren

ISBN 978-3-7074-1134-8
2. Klasse, ab 6/7 Jahren

ISBN 978-3-7074-1098-3
2. Klasse, ab 6/7 Jahren

ISBN 978-3-7074-1053-2
2. Klasse, ab 6/7 Jahren

ISBN 978-3-7074-1231-4
2. Klasse, ab 6/7 Jahren

ISBN 978-3-7074-0344-2
2. Klasse, ab 6/7 Jahren

ISBN 978-3-7074-0345-9
2. Klasse, ab 6/7 Jahren

ISBN 978-3-7074-1297-0
3. Klasse, ab 7/8 Jahren

ISBN 978-3-7074-1266-6
3. Klasse, ab 7/8 Jahren

A B C D
H i J K
P Q R
V W